Pendant que Maman
fait la sieste

Jo Hoestlandt   Claire Frossard

Père Castor ■ Flammarion

Pendant que Maman fait la sieste,
il ne faut pas faire de bruit.

Chut, Nounours.
Cesse de te disputer
avec la poupée.

ATATI

PATATA

Chut, les petites autos.
Ne faites plus la course sur le plancher.

Et la voiture de pompier,
arrête de chanter !

tut-tut

tut-tut

tut-tut

Pendant que Maman fait la sieste,
il ne faut pas faire de bruit.

Chut, le ballon !
Ne tape plus sur le mur du salon !

POUM-
POUM-
POUM

POUM-
POUM

POUM-
POUM

Chut, les animaux de la ferme !
Le veau, la vache, le chien, le cochon,
arrêtez de meugler, d'aboyer de ronchonner !
Maman fait la sieste, j'ai dit !

COT

Chut, le petit avion.
Ne t'en va pas voler dans le plafond !

fff fff ff

Chut, Monsieur le vent.
Cessez d'être bruyant,
soufflez sur les arbres silencieusement.

Et vous, Madame la pluie,
tombez doucement, sans faire de bruit.

ploc

ploc plic ploc

plic

plic ploc

PLIC PLOC PLIC

Si tout le monde est bien sage,
quand Maman sera réveillée...

... on pourra taper, pin-ponner, crier à tue-tête !
Meugler, aboyer, ronchonner !
Chanter, plic-ploquer, faire la fête, et...

PATATI

pin-pon

tut-tut

plic ploc

PATATA

BiJaJa

OUAF
plic ploc
tut-tut
MEUH-MEUH
PIN-PON
grouik-grouik
PLIC PLOC
bilolo
pin-pon

... et partager tous ensemble
un bon, un délicieux,
UN ÉNORME goûter !